…otard un casque des bottes un blouson

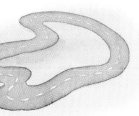   

…circuit le pilote un numéro le drapeau

…cabine la remorque les caisses les roues

…pompier l'incendie une lance une échelle

Jouons : À quels véhicules appartiennent ces mots ?

# EUX DE MOTS

# sur la route

texte d'Annie Pimont
images de Marie-Anne Didierjean.

Cerf-volant

la ceinture     le volant     l'essence     les pha

# la voiture

Quand le conducteur monte dans la , il boucle sa  de sécurité. Il tient le  à deux mains et démarre. La nuit, il allume les  de la . À la station-service, il fait le plein d'  pour ne pas tomber en panne.

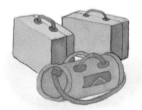

le chauffeur     les passagers     les bagages     la so

# l'autocar

L' est garé sur la place.
Tous les  attendent l'heure
du départ. Le  charge
les dans la soute.
Tout le monde s'embrasse.
Le se met au volant.
Comme le voyage va être
agréable dans ce bel .

la cabine

la remorque

les caisses

les r

# le camion

Il y a un gros  dans la cour. Les ouvriers le chargent d'énormes  . Le chauffeur du  attend que la  soit remplie . Après, il montera dans la  pour faire sa livraison. Le  a beaucoup de ⬤⬤ . Elles sont très grosses.

un pompier    l'incendie    une lance    une échel

# le camion de pompiers

Quand il y a un  , on

appelle les  . Le  quitte

la caserne . Il est rouge . Il

roule à toute allure . Dessus,

l y a une  pour sauver

es gens . Pour éteindre l' ,

es se servent de très

puissantes à eau .

le circuit     le pilote     un numéro     le drape

# la formule 1

Sur le  la course va commencer . La  est sur la ligne de départ . Elle est très belle . Elle porte un  sur le capot . Le  est prêt, il attend le signal du départ. A la fin de la course, le  s'abaissera sur le vainqueur .

 l'ambulancier  le brancard  l'hôpital  le gyrop

# l'ambulance

Il y a eu un accident, l'
est arrivée très vite. Déjà, un
blessé est couché sur le  .
Il faut le conduire rapidement
a l'  . Alors, l'  doit
se faufiler entre les voitures.
L' met donc en marche
le et la sirène de  .

le coureur

la selle

le guidon

les pé

# le vélo

Il y a une course de
dans le village. Un 🚴 arrive
Il roule, tête baissée, assis sur
la selle de son 🚲 . Il tient
bien son 🚲 avec ses deux
mains. Dans les côtes, il
doit appuyer fort sur les ⚙️
pour faire avancer son 🚲 .

 le motard  un casque  des bottes  un blou

# la moto

La 🏍 roule très vite, sur l'autoroute. Le 👦, a mis un 🧥, des gants et des 👢 pour ne pas avoir froid. Pour se protéger, il porte un ⛑. Dans les embouteillages, la 🏍 se faufile entre les voitures.

la ceinture　　le volant　　l'essence　　les pha

  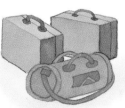 

le chauffeur　　les passagers　　les bagages　　la s

l'ambulancier　　le brancard　　l'hôpital　　le gyrop

le coureur　　la selle　　le guidon　　les p